Este libro pertenece a
This book belongs to

_____

COLECCIÓN DE HISTORIAS
STORY COLLECTION

CONTENIDO
....
CONTENTS

El pequeño Galán de Ariel

Ariel's Baby Beau

Escrito por Catherine Hapka

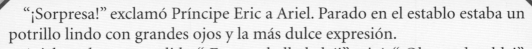

"¡Sorpresa!" exclamó Príncipe Eric a Ariel. Parado en el establo estaba un potrillo lindo con grandes ojos y la más dulce expresión.

Ariel *estaba* sorprendida. "¡Es un caballo bebé!" gritó. "¡Oh, es adorable!"

"Es todo tuyo", dijo Eric con una sonrisa. "Su nombre es Galán."

"Surprise!" Prince Eric exclaimed to Ariel. Standing in the stable was a cute little foal with big eyes and the sweetest expression.

Ariel *was* surprised. "It's a baby horse!" she cried. "Oh, he's adorable!"

"He's all yours," Eric said with a smile. "His name is Beau."

Ariel amó a Galán inmediatamente. Él la amaba también.

"¿No es hermoso?" Ariel le preguntó a Eric.

"¡Totalmente!" dijo Eric.

El amigo de Ariel, la gaviota Scuttle, también estaba observando. "¡Fantabuloso!" declaró.

Ariel loved Beau right away. He loved her, too.

"Isn't he beautiful?" Ariel asked Eric.

"He certainly is!" said Eric.

Ariel's friend Scuttle the seagull was also watching. "Fantabulicious!" he declared.

Ariel jugó con su nuevo amiguito todo el día. Cuando la noche llegó, ella no pudo soportar dejar a Galán solo en ese grande y frío establo.

"Quizás es mejor que vengas adentro", le dijo ella. "Sólo esta noche."

Ariel played with her new little friend all day long. When night came, she couldn't bear to leave Beau alone in that big, cold stable.

"Maybe you'd better come inside," she told him. "Just for tonight."

Ariel le hizo a Galán su propia cama cómoda cerca de la chimenea. Pronto él estaba todo arropado.

"Buenas noches, pequeño Galán." Ariel le dio un beso en la nariz. "Que duermas bien."

"Oh, cielos", dijo el sirviente Grimsby. "¿Un caballo en la casa?"

Ariel made Beau his own cozy bed near the hearth. Soon he was tucked in.

"Good night, little Beau." Ariel gave him a kiss on the nose. "Sleep tight."

"Oh, dear," said Grimsby the servant. "A horse in the house?"

La siguiente mañana amaneció fría y lluviosa.

"No es clima para caballos bebés", Ariel le dijo a Eric. "Creo que es mejor que Galán se quede adentro y desayune con nosotros."

Al terminar el desayuno, Ariel y Galán se divirtieron mucho corriendo alegremente juntos.

The next morning dawned cool and rainy.

"This is no weather for baby horses," Ariel told Eric. "I think Beau had better stay inside and have breakfast with us."

After breakfast, Ariel and Beau had lots of fun romping around together.

12

Galán se comportó perfectamente. Él no quiso romper esa vasija. . . o dejar marcas de pezuñas. . . o comerse las plantas de la casa.

Beau was perfectly well behaved. He didn't mean to break that vase . . . or leave hoof prints . . . or eat the houseplants.

Mientras los siguientes meses pasaban, Ariel y Galán casi nunca se separaban. Galán dormía en el castillo, comía en el comedor e iba a cualquier lado con Ariel.

As the next few months passed, Ariel and Beau were hardly ever apart. Beau slept in the castle, ate in the dining room, and went everywhere with Ariel.

"Debes tener cuidado, Ariel", su amigo Sebastián el cangrejo le previno un día. "Dentro de poco, ¡ese caballo no sabrá que él es un caballo!"

Ariel rió. "No seas ridículo", le dijo a Sebastián. "Además, Galán no es un caballo aún. ¡Es sólo un bebé!"

Galán todavía *era* joven, pero estaba creciendo rápido.

"You'd better be careful, Ariel," her friend Sebastian the crab warned one day. "Before long, that horse won't even know he's a horse anymore!"

Ariel laughed. "Don't be silly," she told Sebastian. "Besides, Beau's not a horse yet. He's just a baby!"

Beau *was* still young, but he was growing fast.

Dentro de poco, los muebles empezaron a caer cuando Galán los golpeaba.
Ariel no estaba muy preocupada. Ella era feliz pasando sus días con su dulce Galán.

Before long, the furniture collapsed when Beau bumped into it. Ariel wasn't
too worried. She was happy just to spend her days with her sweet Beau.

Sin embargo, el chef no estaba muy feliz. Él gruñía mientras le servía a Galán otro plato de pasto, manzanas y zanahorias.

The chef wasn't so happy, though. He grumbled as he served Beau yet another plate of grass, apples, and carrots.

Un día, todo el castillo estaba ocupado alistándose para una ocasión especial. El rey y la reina de un reino cercano vendrían para una visita real. Ariel y Eric querían que todo fuera perfecto.

One day, the entire castle was busy getting ready for a special occasion. The king and queen of a nearby kingdom were coming for a royal visit. Ariel and Eric wanted everything to be perfect.

"Qué adorable lugar", dijo la reina.
"Ah, sí", el rey agregó. "Es tan tranquilo y placentero."

"What a lovely place," said the queen.
"Ah, yes," the king agreed. "It's so peaceful and pleasant."

21

Repentinamente, Galán entró y galopó por el salón del trono, ¡casi empujando a los invitados!

"¡Oh, cielos!" gritó Ariel. "Galán, ¡no! Lo siento, sus majestades."

"Todo esta bien, querida", dijo la reina. "Ningún daño hecho."

"Cierto", el rey agregó. "Nosotros amamos a los caballos. De hecho, eso me recuerda que les hemos traído un regalo. Por favor vengan afuera."

Ariel y Eric intercambiaron una mirada. ¿Un regalo? ¿Qué podría ser?

Suddenly, Beau burst in and galloped through the throne room—almost knocking over the guests!

"Oh, dear!" cried Ariel. "Beau, no! I'm so sorry, Your Majesties."

"It's quite all right, my dear," said the queen. "No harm done."

"Indeed," the king agreed. "We love horses. In fact, that reminds me—we brought you a gift. Please come outside."

Ariel and Eric exchanged a glance. A gift? What could it be?

"¡Sorpresa!" exclamó la reina.
"Esperamos que les guste."
Parada en el patio estaba la
más hermosa yegüita que Ariel
hubiera visto.

"Surprise!" exclaimed the queen.
"We hope you like her."
Standing in the courtyard was the
prettiest little filly Ariel had ever seen.

Galán corrió saludarla.

"Es hermosa", les dijo Eric a los invitados. "Gracias."

Ariel sonrió mientras miraba a su caballo conocer a su nueva amiga. "Sí, *muchas* gracias. Ella es perfecta."

Beau ran to say hello.

"She's beautiful," said Eric to the guests. "Thank you."

Ariel smiled as she watched her horse get to know his new friend. "Yes, thank you *very* much. She is perfect."

Pronto los dos jóvenes caballos estaban pastando juntos felizmente. Y esa noche, en vez de entrar al castillo, Galán decidió quedarse afuera.

"¿Ves?" le dijo Ariel a Eric con una sonrisa. "¡Sabía que mi Galán se daría cuenta que es un caballo tarde o temprano!"

Soon the two young horses were happily grazing together in the pasture. And that night, instead of coming into the castle, Beau decided to stay outside.

"See?" Ariel told Eric with a smile. "I knew my Beau would realize he was a horse sooner or later."

27

Pronto Galán aprendió que vivir como los otros caballos también era divertido.

Ariel prefería las cosas de esta manera, también. Galán había sido una buena mascota de casa, ¡pero definitivamente él era un maravilloso caballo!

Beau quickly learned that living the way other horses did was fun.

Ariel liked things better this way, too. Beau had made a good house pet, but he made an absolutely wonderful horse!

¿Qué te pasa, Phillipe?

What's Wrong, Phillipe?

Era una mañana hermosa y soleada cuando Bella llegó al
establo de Phillipe con una sorpresa especial para su amigo.
"¡Mira qué tengo aquí!" dijo feliz. "¡Las primeras
zanahorias de la temporada, las recogí para ti!"

t was a beautiful sunny morning when Belle
ived at Phillipe's stable with a special surprise
 her friend.
Look what I have!" she said happily. "The first
rots of the season! I pulled them just for you."

Phillipe olfateó las zanahorias, pero cuando Bella le ofreció una, él le empujó suavemente las manos.

"¿Pasa algo?" preguntó Bella.

Phillipe dejó caer su cabeza y dio un pequeño suspiro. *Algo no está bien*, pensó Bella. ¡Phillipe está muy melancólico!

Phillipe sniffed the carrots, but when Belle offered him one, he gently butted her hands away.

"Is something wrong?" Belle asked.

Phillipe hung his head and gave a little sigh. *Something is not right*, thought Belle. Phillipe was so gloomy!

Bella decidió que tenía que alegrar a Phillipe. ¿Pero cómo?

Ella se apresuró a la biblioteca y reunió todos los libros sobre caballos que pudo encontrar.

Belle decided that she simply had to cheer up Phillipe. But how?

She hurried to the library and gathered all the books about horses she could find.

"¡Caramba!" gritó Lumiere, cuando él, Chip y Dindón vieron todos los libros. "¿Qué haces, Princesa?"

"Tratanto de encontrar una manera de animar a Phillipe", explicó Bella.

"¡Ah!" dijo Lumiere. "Antes de que tú vinieras y nos liberaras del hechizo, nosotros solíamos estar tristes. Siempre encontrábamos una manera de animarnos."

"*Sacre bleu!*" cried Lumiere, when he, Chip, and Cogsworth saw all the books. "What are you doing, Princess?"

"I'm trying to find a way to cheer up Phillipe," explained Belle.

"Ah!" said Lumiere. "Before you came and freed us from the spell, we often used to be sad. We always found a way to cheer up."

"¡Tú debes decorar su establo!" dijo Lumiere.

"Yo creo que la *música* es la llave de la felicidad", dijo Dindón.

"O ¿qué tal un baño de burbujas?" agregó Chip. "¡A mí eso *me* alegra mucho!"

"You must decorate his stable!" suggested Lumiere.

"I do believe that *music* is the key to happiness," said Cogsworth.

"Or how about a bubble bath?" Chip chimed in. "That makes *me* very happy!"

35

Bella decidió probar todos los consejos.
Primero arregló el establo con la ayuda de Lumiere.
"¡Listo!" dijo Lumiere. "¿Qué más puede pedir un caballo?"
Phillipe sólo miró triste hacia la ventana.
"Me gustaría saberlo", dijo Bella.

Belle decided to give each idea a try.
First she arranged the stable with Lumiere's help.
"*Voilà!*" he exclaimed. "What more could a horse ask for?"
Phillipe just stared sadly out the window.
"I wish I knew," said Belle.

Después, Dindón instaló una orquesta en el establo. Phillipe no parecía gozar el concierto.

"¡Pero por lo menos su apetito ha vuelto!" dijo Bella.

Next, Cogsworth set up an orchestra in the stable. Phillipe didn't seem to enjoy the concert.

"But at least his appetite is back!" said Belle.

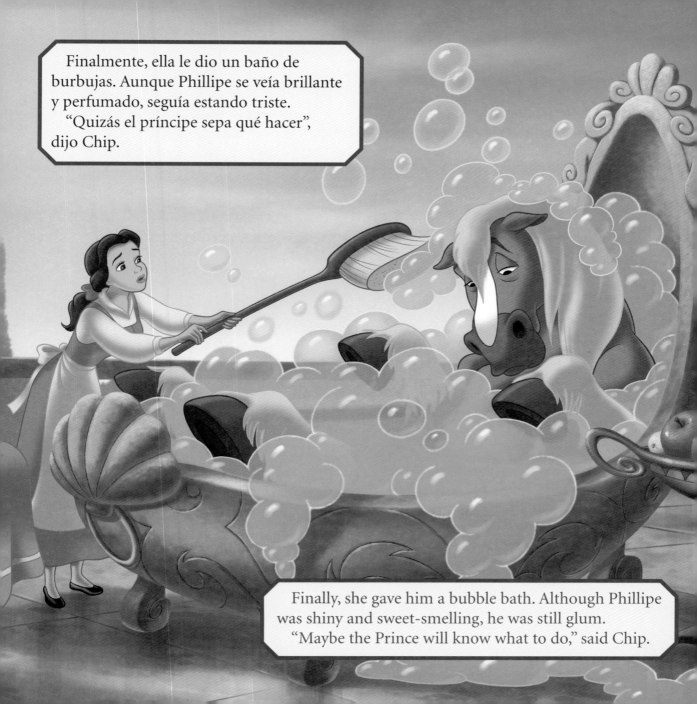

Finalmente, ella le dio un baño de burbujas. Aunque Phillipe se veía brillante y perfumado, seguía estando triste.

"Quizás el príncipe sepa qué hacer", dijo Chip.

Finally, she gave him a bubble bath. Although Phillipe was shiny and sweet-smelling, he was still glum.

"Maybe the Prince will know what to do," said Chip.

Bella encontró al príncipe en su estudio y le explicó todo lo que estaba pasando.

"Desearía saber lo que le pasa a Phillipe", ella dijo. "¿Tienes alguna sugerencia?"

El príncipe pensó por un momento. "Quizá una caminata le haría bien", dijo él. "Una buena caminata siempre me alegraba."

"¡Por supuesto!" gritó Bella. "¡Es una maravillosa idea!"

Belle found the Prince in his study and she explained everything to him.

"I wish I knew what was wrong with Phillipe," she said. "Do you have any suggestions?"

The Prince thought for a moment. "Maybe a walk would do him good," he said. "A good walk would always cheer me up."

"Of course!" cried Belle. "That's a wonderful idea!"

Rápidamente, Bella se cambió la ropa por su traje de montar y se apresuró a ensillar a Phillipe. Cuando él la vio venir, se animó.

Quickly, Belle changed into her riding clothes and hurried to fetch Phillipe's saddle. When he saw her coming, he perked right up.

"¿Quieres una manzana?" preguntó Bella.
Los pasos de Phillipe se volvieron lentos y pesados.
Estaba claramente desganado.

"Would you like an apple?" asked Belle.
Phillipe's steps were slow and heavy.
It was clear his heart wasn't in it.

43

Bella no se dio por vencida. "Apuesto que un buen galope te haría sentir mejor", ella dijo.

Bella se inclinó hacía delante y jaló las riendas. Pero Phillipe sólo empezó a mordisquear un trébol.

"¡Ay, Phillipe!" dijo Bella con desesperación. "Ya no sé qué más hacer."

Belle did not give up. "I bet a good gallop would do the trick," she said.

Belle leaned forward and snapped the reins. But Phillipe just began nibbling the clover.

"Oh, Phillipe!" said Belle in despair. "I don't know what else to do."

De repente, las orejas de Phillipe se levantaron.
¡Después él salió corriendo como un caballo de carreras hasta el bosque!
"¡Guau!" gritó Bella. "¡Phillipe!, ¿a dónde vas?"

Suddenly, Phillipe's ears perked up.
Then he charged off like a racehorse toward the woods!
"Whoa!" cried Belle. "Phillipe, where are you going?"

Por fin, salieron de entre los árboles a un claro. . . ¡lleno de hermosos caballos salvajes! Phillipe relinchó y varios de los caballos le contestaron.

Bella se dio cuenta de lo que Phillipe quería. No un establo elegante. No música. No un baño de burbujas.

¡Lo que Phillipe quería era estar con otros *caballos*!

At last, they emerged from the trees into a clearing. . . filled with beautiful wild horses! Phillipe whinnied, and several of the horses answered him.

Belle realized what Phillipe had wanted. Not a fancy stable. Not music. Not a bubble bath.

What Phillipe had wanted was to be with other *horses*!

47

"Está bien", le dijo Bella a Phillipe. "Ve y diviértete."

Phillipe trotó ansioso hacia la manada.

Toda la tarde, Bella miró a Phillipe que jugaba. ¡Pronto, él había hecho una amiga!

"It's okay," Belle told Phillipe. "Go have fun."

Phillipe trotted eagerly over to the herd.

All afternoon, Belle watched Phillipe play. Soon, he had even made a friend!

"¡Oh!" dijo Bella mientras el sol se ponía, "¡tenemos que regresar! Prometo que regresaremos pronto."

En el camino al castillo, escucharon el sonido de unos cascos.

"¡Mira eso, Phillipe!" Bella exclamó. "¡Tu nueva amiga te sigue!"

"Oh," said Belle as the sun was setting, "we've got to go home! I promise we'll come back soon."

On the way to the castle, they heard the sound of hooves.

"Look at that, Phillipe!" Belle exclaimed. "Your new friend is following you!"

Bella y Phillipe aminoraron su paso y la tímida yegua se fue acercando más y más. Al llegar al castillo, los dos caballos caminaban uno junto al otro.

Belle and Phillipe slowed their pace and the shy mare drew closer and closer. By the time they reached the castle, the two horses were walking side by side.

"Bienvenida a nuestro castillo", le dijo Bella a la yegua. "¡Estamos honrados de tenerte como huésped!"

Bella se apresuró a arreglar el establo.

"Ahora sí", dijo. "Esto luce como un establo donde un caballo (¡o dos!) podrían vivir felices para siempre."

"Welcome to our castle," Belle told the mare. "We're honored to have you as our guest!"

Belle hurried to fix up the stable.

"There, now," she said. "This looks like a stable where a horse (or two!) could live happily ever after."

Y eso fue exactamente lo que hicieron.

And that was exactly what they did.

La luz del amor

The Light of Love

Cenicienta y el príncipe vivían felices en el palacio. La zapatilla de cristal tenía un lugar especial en la ventana. Todas las noches, la zapatilla resplandecía en la luz de la luna.

"Esa zapatilla de cristal siempre nos recuerda que el amor verdadero encontrará una manera de brillar en cualquier oscuridad", decía con frecuencia Cenicienta.

Todos en el reino estaban felices menos la Madrastra y las hermanastras de Cenicienta.

Cinderella and the Prince were living happily in the palace. The glass slipper had a special place by the window. Every night, the slipper shone in the moonlight.

"This glass slipper always reminds us that true love will find a way to shine in any darkness," Cinderella often said.

Everyone in the kingdom was happy—except for Cinderella's stepmother and stepsisters.

Un día, un circo llegó en el reino.

"¡Mi nombre es Dervan, y mi circo es el más espectacular de todo el mundo! ¡Y esta noche la función será gratis!" decía Dervan.

Cuando la Madrastra de Cenicienta vio a un monito del circo robar un brillante reloj, ella pensó de en una manera para por fin deshacerse de Cenicienta.

One day, a circus arrived in the kingdom.

"My name is Dervan, and my circus is the most spectacular in the world! And tonight the show will be free!" said Dervan.

When Cinderella's stepmother saw a circus monkey steal a shiny watch, she thought of a way to finally get rid of Cinderella.

Esa noche, todo el reino estaba emocionado por el circo. Los mejores asientos estaban reservados para la familia real. Pero nadie se daba cuenta de que el monito Sparkle estaba en las gradas robando objetos brillantes, incluyendo la varita mágica del Hada Madrina.

That night, the whole kingdom was excited about the circus. The best seats were reserved for the royal family. But no one noticed that Sparkle the monkey was in the stands stealing shiny objects, including the Fairy Godmother's magic wand.

Pero eso no era todo. Afuera del circo, Dervan y sus hombres saquearon todas las casas. Entraron al palacio y se llevaron todo lo que encontraron, ¡hasta la zapatilla de cristal!

"Si yo alerto a los guardias, seguro los atraparán", dijo la Madrastra de Cenicienta cuando vio a Dervan. "Estoy dispuesta a guardar silencio…si secuestran a Cenicienta", agregó la Madrastra.

But that wasn't all. Outside the circus, Dervan and his men were ransacking all of the houses. They entered the palace and took everything they found—even the glass slipper!

"If I alert the guards, you are sure to be caught," said Cinderella's stepmother when she saw Dervan. "I will keep silent…if you kidnap Cinderella," added the Stepmother.

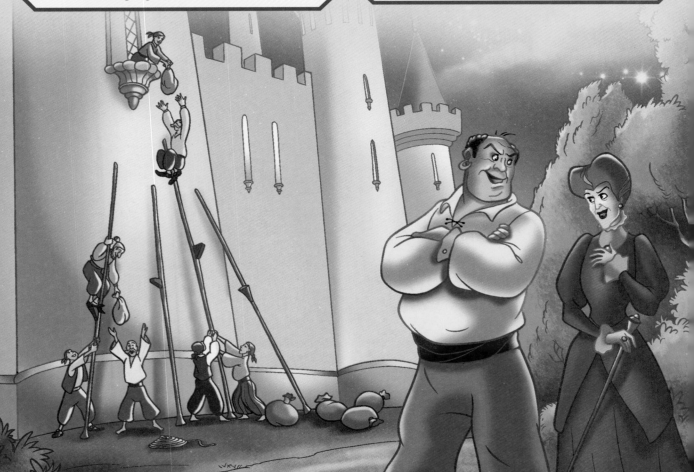

En el circo, Jaq y Gus siguieron los payasos atrás del escenario. Se llevaron una desagradable sorpresa. Los payasos no eran divertidos. Ellos estaban muy disgustados. En vez de encontrar joyas y objetos valiosos, Sparkle había recolectado cosas sin valor que brillaban.

Back at the circus, Jaq and Gus followed the clowns backstage.
They got an unpleasant surprise. The clowns were not funny.
They were very angry. Instead of finding jewels and valuables,
Sparkle had collected things that were shiny but worthless.

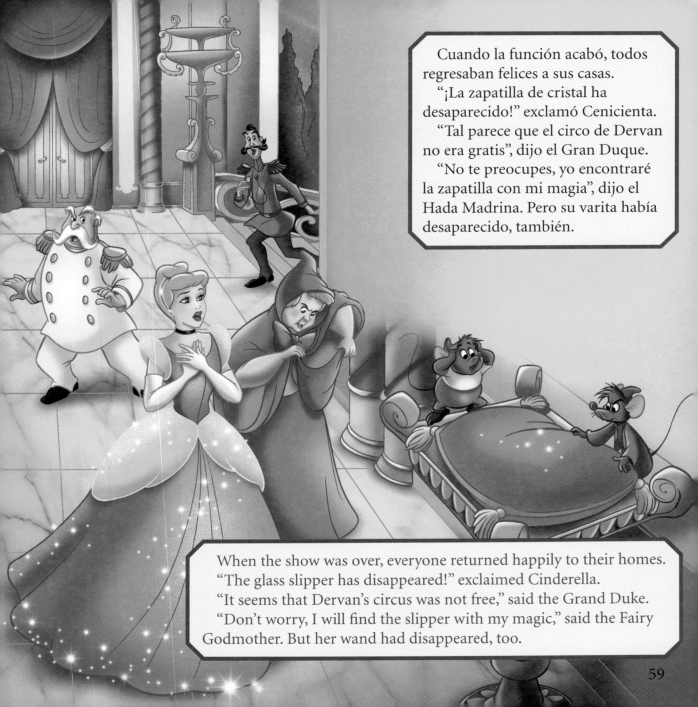

Cuando la función acabó, todos regresaban felices a sus casas.

"¡La zapatilla de cristal ha desaparecido!" exclamó Cenicienta.

"Tal parece que el circo de Dervan no era gratis", dijo el Gran Duque.

"No te preocupes, yo encontraré la zapatilla con mi magia", dijo el Hada Madrina. Pero su varita había desaparecido, también.

When the show was over, everyone returned happily to their homes.
"The glass slipper has disappeared!" exclaimed Cinderella.
"It seems that Dervan's circus was not free," said the Grand Duke.
"Don't worry, I will find the slipper with my magic," said the Fairy Godmother. But her wand had disappeared, too.

Pronto llegó el amanecer y no había rastros de Dervan y sus hombres.

"Todavía tenemos nuestro amor. Eso no puede ser robado", le dijo Cenicienta al príncipe.

Más tarde, Cenicienta estaba atónita cuando su Madrastra entró al palacio y le dio un abrazo.

"Creo que hay una oportunidad para recuperar la zapatilla, pero necesito tu ayuda y no le debes decir a nadie", dijo su Madrastra.

60

Soon, dawn came and there was no trace of Dervan and his men.

"We still have our love. That cannot be stolen," Cinderella said to the Prince.

Later, Cinderella was stunned when her stepmother entered the palace and gave her a hug.

"I believe that there is a chance to recover the slipper, but I need your help and you must not tell anyone," said her stepmother.

Esa noche, la princesa siguió las indicaciones que su Madrastra le dio. ¡Dervan y sus hombres estaban esperándola ahí para secuestrarla!

La Madrastra fue al príncipe para contarle lo que había pasado.

"Debe querer el dinero", dijo el príncipe. "¡Pagaría lo que fuera para que Cenicienta volviera!"

"¿Has recibido alguna nota de él?" preguntó la Madrastra, sabiendo que la nota que Dervan le había entregado jamás llegaría a manos del príncipe.

That night, the princess followed the directions that her stepmother had given her. Dervan and his men were waiting there to kidnap her!

The Stepmother went to the Prince to tell him what had happened.

"He must want a ransom," said the Prince. "I would pay anything to get Cinderella back!"

"Have you received a note from him?" asked the Stepmother, knowing that the note Dervan had given her would never fall into the Prince's hands.

La Madrastra convenció al príncipe de que ella y sus hijas dejara quedarse en el palacio por si llegaba alguna noticia de Cenicienta mientras él estaba fuera.

"Bienvenidas a casa, niñas", dijo la Madrastra.

En el barco, Dervan le dijo a Cenicienta que ella cocinaría y limpiaría hasta que el príncipe pagara el dinero. Él la encerró con los animales.

The Stepmother convinced the Prince to let her and her daughters stay in the palace in case some news of Cinderella arrived while he was away.

"Welcome home, girls," said the Stepmother.

On the ship, Dervan told Cinderella that she would cook and clean until the Prince paid the ransom. He locked her up with the animals.

Cenicienta les dijo la historia de la zapatilla del cristal y cómo fue que conoció al príncipe. Tanta alegría atrajo la atención de un par de gaviotas. La princesa les ofreció unas migajas.

Mientras en el palacio, las hermanastras de Cenicienta se pasaban todo el día dando órdenes a los sirvientes. Jaq vio que se cayó un papel del bolso de la Madrastra. Lo recogió y se escapó con Gus.

Cinderella told them the story of the glass slipper and how she met the Prince. So many happy stories attracted the attention of a pair of seagulls. The princess offered them some crumbs.

Meanwhile in the palace, Cinderella's step-sisters spent all day giving orders to the servants. Jaq saw that a paper fell from the Stepmother's purse. He picked it up and ran away with Gus.

"¡Es la nota del ladrón! La Madrastra sabía donde estaba Cenicienta todo este tiempo", dijo Jaq.

Gus y Jaq fueron a buscar a Cenicienta a la playa. Por suerte, se encontraron con el Hada Madrina y le contaron lo que había pasado. Pero un par de gaviotas agarraron a los ratoncitos. ¡Ésas eran las gaviotas que Cenicienta había alimentado! Ellas los llevaron a la princesa.

"It's the note from the thief! The Stepmother knew where Cinderella was the whole time," said Jaq.

Gus and Jaq went to look for Cinderella at the beach. By luck, they found the Fairy Godmother and told her what had happened. But a pair of seagulls caught the little mice. These were the seagulls that Cinderella had fed! They carried them to the princess.

Cuando la Madrastra vio al príncipe
regresar solo, rápidamente ella escribió
una pista falsa en un pedazo de papel y lo
ató a una paloma mensajera. Cuando llegó
la paloma mensajera, el príncipe decidió
seguir a la pista y a buscar a Cenicienta
en el bosque.

When the Stepmother saw the Prince
return alone, she quickly drew a false trail
on a piece of paper and tied it to a pigeon.
When the pigeon arrived, the Prince decided
to follow the trail and look for Cinderella in
the forest.

Cenicienta se puso muy feliz al ver a Jaq y Gus, pero se soltó a llorar cuando escuchó lo que su Madrastra había hecho. Para animarla, Sparkle, Jaq y Gus rescataron la zapatilla de cristal del cuarto de Dervan y se la llevaron a Cenicienta.

Cinderella was very happy to see Jaq and Gus, but she began to cry when she heard what her stepmother had done. To cheer her up, Sparkle, Jaq, and Gus got the glass slipper from Dervan's room and brought it to Cinderella.

Un rayo de luz de la luna tocó la zapatilla y el cuarto se iluminó.

"¡Por supuesto! ¡El verdadero amor siempre encuentra una forma de brillar en la oscuridad!" dijo Cenicienta, mientras la colocaba por la ventana.

"Yo conozco esa luz", dijo el príncipe. "¡Es Cenicienta!"

A ray of moonlight hit the slipper and lit up the room.

"Of course! True love always finds a way to shine in the darkness!" said Cinderella, as she placed it in the window.

"I know that light," said the Prince. "It's Cinderella!"

Dervan estaba furioso cuando descubrió que Cenicienta mandaba una señal hacia el príncipe. "¿Dónde está Cenicienta?" preguntó el príncipe mientras luchaba contra los piratas.

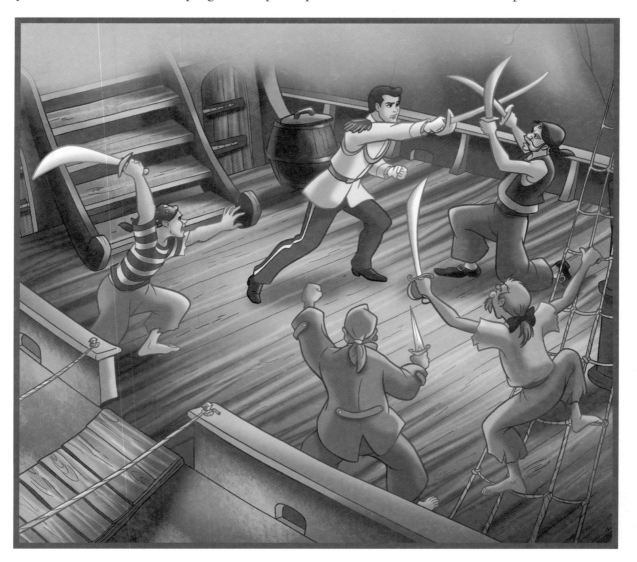

Dervan was furious when he discovered that Cinderella had sent a signal to the Prince. "Where is Cinderella?" asked the Prince as he fought the pirates.

Mientras tanto, Gus y Jaq encontraron la varita del Hada Madrina y les pidieron a las gaviotas que los llevaran a ella.

En el barco, el príncipe tomó una cuerda y se columpió hacia Cenicienta, tomándola en sus brazos, pero Dervan cortó la cuerda.

"Cuidado con esas rocas puntiagudas, son realmente mortales", dijo Dervan mientras ellos caían.

Meanwhile, Gus and Jaq found the Fairy Godmother's wand and asked the seagulls to carry them to her.

On the ship, the Prince took a rope and swung to Cinderella, taking her in his arms, but Dervan cut the rope.

"Watch out for those sharp rocks—they are really deadly," Dervan said as they fell.

Con la varita en sus manos, el Hada Madrina conjuró un hechizo para detener a Cenicienta y al príncipe en medio del aire y ponerlos a salvo en la playa.

Y Cenicienta y el príncipe vivieron felices para siempre…una vez más.

With the wand back in her hands, the Fairy Godmother conjured a spell to stop Cinderella and the Prince in mid air and set them safely on the beach.

And Cinderella and the Prince lived happily ever after…again.

Al rescate

To the Rescue

Una mañana soleada, el Príncipe le dijo a Blanca Nieves que tenía que cumplir una misión muy importante. "Me temo que estaré lejos por varias horas", él dijo.

"Te extrañaré", contestó Blanca Nieves.

Ella planeaba pasar el día en los jardines del palacio.

One sunny morning, the Prince told Snow White that he had an important mission to perform. "I'm afraid I'll be away for several hours," he said.

"I will miss you," replied Snow White.

She was planning to spend the day in the palace gardens.

Antes de que el Príncipe partiera, Blanca Nieves le colocó una flor al freno de Astor y le dio otra flor al Príncipe.

"Ten cuidado, mi Príncipe", dijo Blanca Nieves. "¡Y cuida también a Astor!" agregó, pues también quería mucho al caballo. Ella los despidió con una gran sonrisa.

Before the Prince departed, Snow White slipped a flower into Astor's bridle and she gave another flower to the Prince.

"Take care, my Prince," said Snow White. "And take care of Astor, too," she added, for she also loved the horse very much. She said farewell with a big smile.

Dentro de poco, Blanca Nieves vio una nube de polvo en el camino. Un caballo se acercaba rápidamente.

"¡Qué bueno!" exclamó ella. "Mi Príncipe y Astor regresaron temprano a casa", y ella se apresuró hacia la puerta.

Before long, Snow White saw a cloud of dust on the road. A horse was rapidly approaching.

"Oh, good!" she exclaimed. "My Prince and Astor are home early," and she hurried toward the gate.

¡Pero Astor venía solo!

"¿En dónde está el Príncipe?" Blanca Nieves preguntó.

Sólo Astor sabía la respuesta y obviamente, el caballo no podía decir nada.

Blanca Nieves trató de no asustarse, pero su corazón se llenó rápidamente de temor. *Seguramente el Príncipe está en problemas*, pensó ella. *Debo ir a buscarlo.*

But Astor arrived alone!
"Where is the Prince?" Snow White asked.
Only Astor knew the answer, and, of course, the horse could not say.
Snow White tried not to panic, but her heart quickly filled with fear.
Surely the Prince is in some trouble, she thought. *I must go find him.*

Rápidamente la princesa se subió a la silla de montar de Astor. ¡Apenas tuvo tiempo de sentarse cuando Astor comenzó a galopar por el camino hacia el bosque! La princesa trató de no pensar en los peligros que ella podría encontrar.

¡Solamente Astor sabía por dónde la llevaba!

Quickly the princess pulled herself onto Astor's saddle. She barely had time to sit down before Astor was racing down the road toward the forest! The princess tried not to think about the dangers she might encounter.

Only Astor knew where she was taking her!

Incansable, Astor galopó por el bosque. De pronto, Blanca Nieves encontró un pedazo de tela roja enganchada en una espina larga y aguda.

"¿Podría ser?" preguntó.

¡Sí, lo era! ¡Un pedacito de la capa del Príncipe!

Tirelessly, Astor galloped through the forest. Suddenly, Snow White spotted a piece of red cloth caught on a long, sharp thorn.

"Could it be?" she asked.

Yes, it was! A piece of the Prince's cape!

Cuando llegaron al río, Blanca Nieves vio el sombrero del Príncipe que colgaba de una rama muy alta. Astor cruzó de un salto el río, y Blanca Nieves logró arrancar el sombrero de la rama.

When they came to the river, Snow White saw the Prince's hat dangling from a high branch. Astor leaped across the river, and Snow White reached to pluck the hat from the branch.

Apretando el sombrero, Blanca Nieves solamente podía imaginar el peligro en el que estaba su Príncipe.

En ese momento, ¡cuatro ojos aparecieron en las sombras frente a ella!

Clutching the hat, Snow White could only imagine the danger her Prince was in.

Just then, four eyes appeared in the shadows ahead!

91

"Hola", dijo una voz familiar.

"¿Doc?" dijo Blanca Nieves. "¡Estoy tan contenta de verte! El Príncipe . . . ¡tengo que encontrarlo!"

"No te preocupes", le aseguró Doc. "¡Nosotros te vamos a ayudar!"

"Hi, there," said a familiar voice.

"Doc?" said Show White. "I'm so glad to see you! The Prince—I must find him!"

"Don't worry," Doc assured her. "We will help you!"

"¡Muchas gracias!" dijo la princesa mientras los otros Enanos llegaron. "Sigan a Astor, parece que ella sabe por dónde ir."

"Oh, thank you!" said the princess as the other Dwarfs rode up. "Follow Astor. She seems to know the way."

Los Siete Enanos siguieron a Astor por el bosque y sobre un cañón profundo y rocoso.

"¡Ooooh!" dijo Tímido. "Espero que el Príncipe no esté allá."

"¡Shhh!" dijo Gruñón.

The Seven Dwarfs followed Astor through the forest and over a deep, rocky canyon.

"Ooh!" said Bashful. "I hope the Prince isn't down there."

"Shh!" said Grumpy.

Blanca Nieves vio una luz a lo lejos.

"¿Dónde está el Príncipe?" susurró en el oído de Astor.

Por fin ellos entraron a una zona clara y soleada donde Astor se detuvo.

¡El Príncipe estaba tirado sobre la tierra¡

Snow White saw a light in the distance.

"Where is the Prince?" she whispered in Astor's ear.

Finally, they came to a sunny clearing where Astor stopped.

The Prince was lying on the ground!

"¡Oh, no!" gritó Blanca Nieves,
y ella corrió al lado del Príncipe.

"Oh, no!" cried Snow White,
and she ran to the Prince's side.

97

Sin aliento, Blanca Nieves llegó al Príncipe.

¡Él se levantó y se estiró! "Qué siesta tan agradable", dijo él. "¡Y qué manera tan agradable de despertarse! Espero que tengas hambre."

Blanca Nieves estaba desconcertada. A un lado del Príncipe había un picnic grandioso.

"Sabía que Astor te traería hasta acá rápidamente", dijo él. "¿Estás sorprendida?"

"¡Oh, sí, muy sorprendida!" dijo Blanca Nieves.

Breathless, Snow White reached the Prince.

He sat up and stretched! "What a nice nap," he said. "And what a lovely way to awaken! I hope you're hungry."

Snow White was bewildered. Next to the Prince was a grand picnic.

"I knew Astor would get you here quickly," he said. "Are you surprised?"

"Oh, yes, very surprised!" said Snow White.

Los Enanos se zambulleron sobre el delicioso picnic.
"Ja, me alegro de haber traído un poco de comida extra", dijo el Príncipe sonriendo.

The Seven Dwarfs began digging into the delicious picnic.
"Ha! I'm glad I brought a little extra food," said the Prince with a smile.

"Yo, también", contestó Blanca Nieves. Ella recogió una manzana y se la ofreció a Astor. "¡Y me alegro aún más de que tengas un caballo tan lindo y tan listo!"

"Me, too," replied Snow White. She picked up an apple and offered it to Astor. "And I'm very glad you have such a lovely and clever horse."